10001033506439

Het geheime
pakje

NEDERLANDSE
KINDERJURY
2007

© 2006 Educatieve uitgeverij Maretak, Postbus 80, 9400 AB Assen

Tekst en illustraties: Isabel van Duijne
Vormgeving: Heleen van Keulen
DTP Gerard de Groot
ISBN-10: 90-437-0284-6
ISBN-13: 978-90-437-0284-3
NUR 140/282
AVI 4

Het geheime
pakje

Isabel van Duijne

educatieve

uitgeverij

Maretak

1 Mam is het zat

Ben hangt op de bank.
Met zijn benen in de lucht.
En dan weer op zijn kop.
Hij kijkt tv.
Al de hele ochtend.
Hij heeft wel zes tekenfilms gezien.
Zijn benen gaan van links naar rechts.
Nu hangt hij over de leuning.
Weer op zijn kop.
Hij draait zich om.
En *bom*.
Daar ligt hij op de grond.
'Zet die tv nou eens uit', zegt mam.
'Zo lang tv-kijken is slecht voor je.
Straks krijg je vierkante ogen.'
'Ik verveel me', zegt Ben.
'Er is niks te doen.'
'Niks te doen?', zegt mam.
'Ga dan maar eens je kamer opruimen.
Het is me daar een bende!'
'Bah!', zegt Ben.
'Dat zeg je altijd.'

Boos gaat hij naar boven.

De deur van zijn kamer geeft hij een zwiep.

Bam!

Die is dicht.

Hij geeft zijn voetbal een zet.

Zo onder het bed.

Zijn vuile sokken gooit hij bij de was.

De lego *hup* in een doos.

Samen met de treinbaan.

'Zo!

Al klaar!', zegt Ben.

'Waarom zeurt mam altijd zo!'

Hij pakt zijn Nintendo.

En hij ploft op zijn bed.

Blieb! Blieb!

Ben schiet appels uit een boom.

Maar er schieten wormen terug.

Blieb!

Kijk uit!

Woeste wespen komen achter hem aan.

Vlug in het water.

Blieb!

Ben springt van rots naar rots.

Er komen monsters uit het water.

Ze happen naar Ben.

Oei! Snel!

Vuur!

Blieb!
De monsters zijn verslagen.
Ben staat onder aan een toren.
Hij moet naar boven zien te komen.
Tien trappen op!
Blieb!
Vol spanning neemt Ben de eerste trap.
Zijn wangen zijn rood.
Oei!
Daar komen de wespen weer!
Ze gooien met honing.
Ben glijdt steeds weer naar beneden.
Blieb!
Hij blijft het proberen.

Nu gaat het goed.

Hij is al bij trap acht.

Nog een klein stukje en ...

Blieb, blieb!

Blie-ie-ie-ie-ie-ie-ie-ie-ieb!

Wat is dát nou?

Hij doet het niet meer.

Zijn de batterijen nu alweer leeg?

Op dat moment komt mam de trap op.

Ze steekt haar hoofd om de deur.

'Gaat het goed, Ben?', vraagt ze.

'Nee!

Ik ben boos!', zegt Ben.

'Wat is er dan?', vraagt mam.

'Niks!', zegt Ben.

Mam gaat naast hem zitten.

Op het bed.

Ze slaat haar arm om hem heen.

'Waarom ga je niet naar buiten?

Je kunt een hut bouwen.

Gaan fietsen of naar de speeltuin ...'

'Saai', zegt Ben.

'Je kunt naar een vriendje toe.

Gaan voetballen of vissen ...'

'Saai', zegt Ben.

'Nou, dan weet ik het ook niet, hoor',
zucht mam.

Ben zet de computer aan.
'Nee!', zegt mam streng.
Ze kijkt boos.
'Nou ben ik het zat.
Van al die tv en die spelletjes word je maar suf.
Het is klaar nu.
Hup!
Naar buiten nou.
Er is vast wel iets te doen!'
Ben sloft de trap af.
Bam!
Hij slaat de deur achter zich dicht.

2 Blauwe plekken

Ben loopt de straat uit.
Hij schopt tegen een leeg blikje.
En nog eens.
En nog eens.
Het blikje rolt van de stoep.
Zo de weg op.
Daar komt net de postbode aan.
Op zijn fiets.
Aan zijn fiets hangen zware tassen.
Vol met brieven en pakjes.
De postbode ziet het blikje.
Vlug stuurt hij eromheen.
Maar zijn wiel stoot tegen de stoeprand.
Hij slipt en slingert.
Oh nee, hij valt!
Ben schrikt zich naar.
Het is zijn schuld!
Vlug verstopt hij zich achter een busje.
Zijn hart bonst in zijn keel.
Heeft iemand het gezien?
Dat hij tegen het blikje schopte?
Ben gluurt naar de postbode.

Oef!

Hij staat weer op.

Maar alle brieven en pakjes
liggen op de grond.

Een vrouw helpt hem.

Ben wil ook wel helpen.

Maar hij durft niet.

'Gaat het?', vraagt de vrouw.

De postbode zwaait met zijn armen.

En hij beweegt zijn benen heen en weer.

Hij draait een rondje met zijn nek.

'Alles doet het nog', zegt hij dan.

'Hooguit een paar blauwe plekken.'

'Fijn zo!', zegt de vrouw.

'Maar de brieven liggen vast door elkaar.'

'Ja', zucht de postbode.

'Ik zal ze opnieuw moeten sorteren.'

'Wat naar voor u', zegt de vrouw.

'Wat gebeurde er nou precies?'

'Ik weet het niet', zegt de postbode.

'Er rolde opeens een blikje de weg op.

Maar waar dat vandaan kwam?

Geen idee ...'

Met een rood hoofd luistert Ben mee.

Gelukkig heeft niemand mij gezien,
denkt hij.

Anders kreeg ik vast op mijn kop.

De tassen zijn weer vol.

'Dank u voor uw hulp', zegt de postbode.

'Geen dank, hoor!', zegt de vrouw.

'Sterkte met de post.'

De vrouw loopt weg.

Ze loopt vlak achter Ben.

Ben schaamt zich.

Waarom durft hij niks te zeggen?

De postbode kijkt zijn fiets na.

Hij zet het stuur weer recht.

En hij draait zijn bel vast.

Dan fietst hij weg.

'Pffff', zucht Ben.

Plots komt er iemand naar het busje toe.

Daar zal je het hebben!, denkt Ben.

Ik ben er bij.

Het is mevrouw Soen.

Van het Chinese restaurant.

Misschien heeft ze alles gezien!
Maar mevrouw Soen knikt aardig naar Ben.
Ze stapt in het busje.
Ze start de motor en rijdt weg.
Ben slaakt weer een zucht.
Hij wil verder lopen.
Maar dan ziet hij opeens iets.
Midden op de straat.
Wat is dat?
Hé!

Het is een pakje.
Ben raapt het pakje op.
Het is vast van de postbode.
Maar die is allang weg.
Wat moet hij nu doen?
Dan bezorg ik zelf het pakje, besluit Ben.
Zo kan ik hem toch nog helpen.
Ben probeert te lezen wat erop staat.
Het adres is heel vies geworden.
Daar is niks meer van te zien.
En wat zijn dát voor tekens?
Het lijkt wel Chinees ...
Wat jammer dat mevrouw Soen net wegreed,
denkt Ben.
Aan haar had ik het kunnen vragen.
Maar misschien is er nog iemand in het
restaurant?

Ben loopt ernaartoe.

Er hangt een bordje op de deur.

GESLOTEN, staat erop.

Voor de zekerheid duwt Ben toch even

tegen de deur.

Maar die gaat niet open.

Ben kijkt door het raam.

Hij ziet waaiers aan de muur.

En veel rode lampen.

Met franjes eraan.

Er zwemmen mooie vissen in een glazen bak.

Maar er is niemand te zien.

3 Iets gevaarlijks?

Ben neemt het pakje mee.
Bij Fleur belt hij aan.
'Hoi Fleur!', zegt hij.
'Kijk eens wat ik heb?'
Hij laat het pakje zien.
'Hoe kom je daar nou aan?', vraagt Fleur.
Ben vertelt het hele verhaal.
Van mama, die zo zeurde.
Van het spelletje.
Dat hij de monsters had verslagen.
En bijna boven aan de toren was.
Dat hij van mama naar buiten moest.
Dat hij tegen een blikje schopte.
Van de postbode die viel.
En van alle brieven en pakjes op de grond.
'Oh!', zegt Fleur.
'Wat erg.
Laat mij het pakje eens zien.'
Fleur draait het pakje om en om.
'Het is niet te lezen', zegt ze.
'Het lijkt wel Chinees ...
Weet je wat?

We gaan naar Lin.
Zij weet het vast.
Lin komt uit China.'
'Weet je waar Lin woont?', vraagt Ben.
'Ja', zegt Fleur.
'Lin woont vlak bij de havens.
Het is niet zo ver.
Eén straat door.
Het plein over.
En bij de stoplichten links.'

Ben en Fleur lopen langs vissersboten.
Er liggen ook zeiljachten.
En vrachtschepen.
Met grote bergen zand erop.
En soms zelfs met een auto op het dek.
Meeuwen zijn op zoek naar een lekker hapje.
'Het stinkt hier.
Naar vis!', zegt Ben.
'Ik heb best trek in een haring!', zegt Fleur.
'Hè bah!
Weet je niks anders?
Een patatje of zo?'
'Daar is een friettent', zegt Fleur.
'Maar ik heb geen geld.'
'Ik ook niet', zegt Ben.
Hij voelt nog eens goed in zijn zakken.

'Wat zou er nou toch in het pakje zitten?',
zegt hij.
'Misschien wel iets heel duurs!', zegt Fleur.
'Een gouden ketting ...
Of een armband ...'
'Of gewoon geld', zegt Ben.
'Een Chinese vaas', zegt Fleur.
'Dan zitten er nu alleen nog scherven in',
zegt Ben.
'Zullen we stiekem even kijken?', vraagt Fleur.
Ben twijfelt.
'Misschien is het wel iets gevaarlijks!', zegt hij.
'Iets met drugs of zo ...'
'Drugs?
Wat is dat?', vraagt Fleur.
'Ik weet het niet precies', zegt Ben.
'Maar het is heel gevaarlijk, zegt mijn vader.
Je raakt eraan verslaafd.
Als je dat spul gebruikt,
kan je er niet meer mee stoppen.
En het is ook verboden.
Als de politie het ziet,
moet je naar de gevangenis.'
'Oh', zegt Fleur.
'Wat erg.
Als dát er maar niet in zit.
Daar woont Lin!', roept ze dan.

'Nummer tien.'
Fleur belt aan.
De vader van Lin doet open.
Wat gek, denkt Fleur.
De vader van Lin is niet Chinees.
'Dag meneer', zegt Fleur.
'Wij zijn vrienden van Lin.
Is ze thuis?'
'Kom binnen', zegt Lins vader.
'Ze is in haar kamer.'
Ben en Fleur lopen mee naar binnen.
De moeder van Lin is in de keuken.
Ze geeft Ben en Fleur een hand.
Wat gek, denkt Fleur.
De moeder van Lin is ook niet Chinees.
Er hangen ook heel gewone gordijnen
in de kamer.
Grijs met groene streepjes.
Fleur had zich iets heel anders voorgesteld.
Zijden gordijnen met bloemen erop.
Rode lampen met franjes eraan.
Waaiers aan de muur.
En dat het hele huis naar bami ruikt.
Maar Fleur ruikt niks vreemds.
Het ruikt er net als thuis.

4 Beschuit met muisjes

Ben en Fleur lopen naar boven.
Daar is Lin.
Ze staat boven aan de trap.
'Hé Fleur!
Hé Ben!
Wat leuk dat jullie er zijn!
Wat komen jullie doen?'
'Ssst!
Dat is geheim!', zegt Ben.
'Kom gauw in mijn kamer', zegt Lin.
Ben en Fleur vertellen wat er is gebeurd.
'En nu willen we het pakje bezorgen', zegt Ben.
'Maar er zit misschien drugs in.
Of een bom ...'
'Een bóm?'
Fleur schrikt zich naar.
'Dat had je nog niet gezegd.'
'Als er een bom in zit, dan hoor je hem tikken',
zegt Lin.
Met zijn drieën luisteren ze naar het pakje.
'Hoor je iets?', fluistert Fleur.
'Ssssst!

Zo hoor ik niks', zegt Ben.

'Laat mij eens', zegt Lin.

Lin houdt het pakje heel dicht tegen haar oor.

In de kamer is het muisstil.

Ben en Fleur houden hun adem in.

Stel je voor.

Een bóm!

Straks ontploft hij!

'Volgens mij is het geen bom', zegt Lin.

'Ik hoor niks.'

'Gelukkig!', zucht Fleur.

'Maar kun jij het lezen?

Jij bent toch Chinees?'

'Haha!', lacht Lin.

'Ik ben wel geboren in China.

Maar toen ik nog een baby was,

kwam ik in Nederland.'

'Waarom?', wil Ben weten.

'Ik ben geadopteerd', zegt Lin.

'Geadopteerd?

Wat is dat?', vraagt Fleur.

Lin probeert het uit te leggen.

'Mijn Chinese moeder was helemaal alleen
toen ik geboren werd.

Ze kon niet voor mij zorgen.

Er was geen geld voor eten.

En ze had geen huis.

Ze bracht mij naar een opvanghuis.

Daar kreeg ik te eten van de zusters.

Ik sliep met heel veel baby's in één bed.

Kijk', zegt Lin.

'Daar heb ik nog een foto van.'

'Ach!

Wat lief!', zegt Fleur.

'Mijn vader en moeder hier wilden heel graag
een kindje', gaat Lin verder.

'Zelf konden ze geen kindje krijgen.

Mijn moeder was toen heel verdrietig.

Ze kon alleen nog maar huilen.

Mijn vader had een goed idee.

Hij troostte mijn moeder.

"Ergens op de wereld is een kindje
dat helemaal alleen is.

Laten wij onze liefde aan dat kindje geven",
zei hij.'

Ben en Fleur luisteren stil.
Met tranen in hun ogen.
'Wat een mooi verhaal', zegt Fleur.
'Ja', zegt Lin.
'Mijn moeder heeft het wel honderd keer verteld.
Ik mocht met hen mee.
In een wiegje.
Toen we in Nederland kwamen,
was het groot feest.
De hele familie was er.
Ineens had ik oma's en opa's.
Tantes en ooms.
En nichtjes en neefjes.
Ze aten beschuit met muisjes.

En ik kreeg een hele berg knuffels en kleertjes.'
'Ooh', zegt Fleur.
Ben is nog steeds stil.
'Dus je kunt geen Chinees lezen?',
vraagt hij dan.
'Nee', zegt Lin.
'Maar ik ken wel iemand die het kan.
Een schipper.
Van een groot vrachtschip.
Hij vaart naar China en weer terug.
Hij is een goede vriend van mijn vader.
En heel aardig.
Hij neemt steeds iets uit China voor me mee.'
Lin laat slofjes zien.
Die heeft ze pas gekregen.
Ze zijn van roze zijde.
Met bloemen erop.
'Zullen we kijken of het schip er ligt?'
'Ja!
Goed idee', zegt Ben.
Ben en Fleur gaan achter Lin aan de trap af.
'We zijn even weg!', roept Lin naar haar moeder.
'Goed!', roept haar moeder terug.

Ze lopen naar de schepen.
Ben houdt zijn neus dicht.
Lin lacht.

'Wat is er met jou?'

'Hij kan niet tegen de vislucht', lacht Fleur.

'Zullen we een haring eten?', plaagt ze.

'Bah!

Géén haring!', zegt Ben.

Lin lacht.

'Zullen we dan patat halen?', zegt ze.

'Goed idee!

Maar wij hebben geen geld', zegt Ben.

'Ik heb geld', zegt Lin.

Ze staan in de rij bij de friettent.

Na een poos zijn ze aan de beurt.

'Drie patat met, graag!', zegt Lin.

Met hun patat lopen ze verder.

'Daar!', roept Lin opeens.

'Zie je dat schip?

Volgens mij is dat het schip uit China.

Kijk maar naar de vlag.'

Ben en Fleur proberen te zien

welk schip Lin bedoelt.

Fleur ziet een vlag.

Met een rode, gele en zwarte streep.

'Is dat hem?', vraagt ze.

'Nee', zegt Lin.

'Dat schip komt uit Duitsland.'

Daar komt net een schip aan varen.

Met een heel mooie vlag erop.

'Is dat hem?', vraagt Fleur.
'Nee joh!', zegt Ben.
'Die komt uit Engeland.
Weet je dat niet eens?'
'Nee!', zegt Fleur.
'Hoe kan ik dat nou weten!'
'Eet jij geen Engelse drop?', zegt Ben.
'Op de zak staat ook zo'n vlag.'
'Nee, daar!', roept Lin.
'Daar ligt het schip uit China!'

Nu zien Ben en Fleur het ook.
Het schip heeft een rode vlag.
Op de vlag staan vijf sterren.
Eén grote en vier kleine.
Snel lopen ze ernaartoe.

5 Poep in je haar!

De patat is op.
Ze gooien hun bakjes in de afvalbak.
Ineens geeft Ben een kreet.
'Het pakje!', roept hij.
'Het pakje is weg!'
Ze staan stokstijf stil.
'Hoe kan dat nou?', zegt Fleur.
'Net had je het nog.'
'Heb je het ergens neergelegd?', vraagt Lin.
'Nee ...
Niet dat ik weet', zegt Ben.
'Misschien ligt het bij de friettent', zegt Fleur.
Vlug rennen ze weer terug.
Bij de friettent staat een lange rij.
'Moeten we nou weer zo lang wachten?',
zegt Fleur.
'Kom', zegt Lin.
'We gaan naar voren.
En dan vragen we het gewoon.
Meneer?', zegt Lin.
Maar de man heeft zich net omgedraaid.
Hij haalt de patat uit het vet.

'Zo', zegt hij tegen een mevrouw.

'Dat is dan vier euro.'

Lin wacht.

De vrouw gaat weg.

'Meneer?', probeert Lin nog een keer.

Achter hen staat een grote jongen.

Hij heeft een pet op.

'Drie patat met!', roept hij.

'En een kroket!'

Lin is boos.

Zo lukt het nooit.

Ze springt.

Misschien ziet ze zo het pakje liggen.

Ben en Fleur springen ook.

'Meneer?', probeert Ben.

'Zes euro vijftig', zegt de man.

De jongen met de pet wil betalen.

Hij steekt zijn arm uit.

Net op dat moment springt Fleur omhoog.

Ze stoot haar hoofd tegen zijn arm.

Het geld vliegt uit zijn hand.

Zo over de toonbank.

In de bak met ketchup!

'Kun je niet uitkijken?', bromt de jongen.

'Wat staan jullie nou te springen?'

Fleur wordt rood.

Net zo rood als de ketchup.

'Ik eh ...', zegt ze.

'Ik eh ...'

'Ja, wat nou!', bromt de jongen.

De man van de friettent grijpt in.

'Maak je niet zo druk', lacht hij.

'Dat geld haal ik er wel uit.

Eet smakelijk!'

De jongen bromt nog wat.

Dan loopt hij weg.

'Kan ik jullie helpen?',

vraagt de man van de friettent.

'Hé!

Jullie hebben toch net patat besteld?

Hebben jullie al weer trek?'

'Nee', zegt Lin.

'We zijn een pakje kwijt.

Ligt het soms hier?'
'Bedoelen jullie dit?'
Hij laat het pakje zien.
'Mmmm ...
Vreemd pakje', zegt de man.
'Wat zit er in?'
'Dat is geheim', zegt Ben.
'We moeten het bezorgen.'
'Veel succes!', zegt de man.
'Dank u wel!', roept Ben.
'En sorry voor het geld in de ketchup', zegt Fleur.
'Tot ziens!', roept Lin.
De man gaat verder met patat bakken.
'Poeh!
Dat liep goed af', zegt Fleur blij.

Na een tijdje komen ze bij het schip.
'Wat groot!', zegt Ben.
'Waar is die schipper?', vraagt Fleur.
'Hij heet Tony', zegt Lin.
'Ik weet niet waar hij is.
Er is niemand te zien.
Misschien zijn ze even wat eten.'
'Laten we hier wachten', zegt Ben.
Hij wijst naar een laadklep aan het schip.
'Goed', zegt Lin.
'Van daaraf kunnen we alles goed zien.'

Ze stappen van de kade op de klep.
'Tony zal zo wel komen', zegt Lin.

Er is veel te zien.
Vissersboten die de haven binnen varen.
Meeuwen dansen eromheen.
Ze maken een hoop kabaal.
Er is een grote hijskraan aan het werk.
Er staan veel kisten.
De grijper pakt steeds een kist van de kade.
Die laat hij weer zakken in een schip.
Een meeuw komt vlakbij hen.
Hij heeft iets in zijn snavel.
Is het een visje?
Fleur kijkt eens goed.
'Hé!', zegt ze.
'Volgens mij heeft hij een patatje.'
Fleur komt nog een beetje dichterbij.
De meeuw vliegt op.
Hij cirkelt boven hun hoofd.
En flats!
Daar laat hij iets vallen.
Boven op het hoofd van Fleur.
'Bah!', schreeuwt Fleur.
'Wat is dat?'
Ben en Lin liggen in een deuk.
'Doe iets!', roept Fleur.

'Is het een patatje?'
'Hihi! Haha!
Nee!', lacht Ben.
'Hij heeft gepoept!'
Fleur trekt een vies gezicht.
'Ja', lacht Lin.
'Er zit poep in je haar!'
Als ze uitgelachen is, pakt ze een zakdoekje.
'Ik zal het schoonmaken.'
Voorzichtig pakt ze het kloddertje.
Uit het haar van Fleur.
Ze wrijft een beetje.

'Zo!', zegt ze.
'Je ziet er niks meer van.'
'Dank je', zegt Fleur.
'Maar waar blijft die Tony nou?'
'We wachten nog vijf minuten', zegt Lin.
'Oké', zegt Ben.
'Goed!', zegt Fleur.

6 Zes weken appelmoes?

Opeens gebeurt er iets.
Er is een luid geronk.
Motoren brommen.
Het schip trilt.
De laadklep beweegt.
'Wat gebeurt er?', roept Fleur.
De laadklep schuift weg.
'Snel!
Spring!', roept Lin.
Ben springt als eerste.
Te laat.
Met zijn drieën vallen ze naar achteren.
Zo het laadruim in.
Er valt ook iets in zee.
Maar dat merken ze niet eens.
KLANK!
Het ruim valt dicht.
'Help! Help!
Hélp!', roepen ze.
Maar niemand hoort hen.
Niemand zag dat ze op de klep zaten.
Nu beweegt het schip.

Het geronk klinkt nog harder.
In het laadruim is het donker.
Er brandt maar één heel klein lichtje.
Fleur gilt: 'Ik wil eruit!
Waar gaan we naartoe?'
Ze schudt Lin door elkaar.
'Lin!
Zeg iets!
Waar gaat dit schip naartoe?'

Met een trilstem zegt Lin zacht:
'Eh, eh ...
Naar eh ...
Naar China.'
Ben is bang.
Hij voelt tranen in zijn ogen.
Dat kan toch niet waar zijn?
Ze gaan toch niet helemaal naar China!
Ze zullen hier doodgaan!

Er is geen eten en drinken.

Lin bonst met haar vuisten tegen de wand.

Heel hard.

Tot haar handen rood zijn.

Ze zakt op de grond.

Tranen lopen over hun wangen.

Ze rillen.

Van angst en kou.

'Brrrr!

Het is hier koud', huilt Fleur.

'Wat gaat er nou gebeuren?', huilt Ben.

'Toe Lin, zeg iets.'

Maar Lin weet het ook niet.

Moedig veegt ze haar tranen weg.

Ze probeert na te denken.

'We moeten het laadruim verkennen',

zegt ze dan.

'Misschien is er wel een deur.'

Voorzichtig lopen ze achter elkaar.

Ze voelen aan de wanden.

'Stil eens!', zegt Ben.

'Ik hoor wat!'

Ze houden hun adem in.

Het geronk van het schip dreunt in hun buik.

Maar er is nog een geluid.

Een soort getrippel.

En geknaag ...

Ineens schiet er iets over de vloer.

'Ieks!', roept Fleur.

'Wat was dat?'

'Muizen', zegt Lin.

'Volgens mij was het een muis.

Je hoeft niet bang te zijn.

Muizen doen je niks.

Behalve als ze trek hebben in kaas.

Dan knabbelen ze vannacht aan je tenen.'

'Vannacht?', vraagt Fleur bang.

'Zijn we hier dan nog steeds?'

'Als we geen uitgang vinden wel', zegt Lin.

Na de schrik zoeken ze verder.

Fleur heeft iets gevonden.

Een deur!

Er zit een ijzeren hendel aan.

Ze trekt en duwt.

'Muurvast', zegt ze.

Ben komt erbij.

Hij probeert het ook.

'Het zal me lukken', zegt hij dapper.

Maar na een tijdje geeft hij het op.

'Muurvast', zegt hij.

Lin heeft ook iets gevonden.

Grote kisten.

'Zullen we kijken wat erin zit?'

De kisten zijn dicht geniet.

'Hoe krijgen we die open?', vraagt Fleur.
'Hier!', zegt Ben.
'Hiermee gaat het wel.'
Hij heeft een schroevendraaier gevonden.
Daarmee probeert hij de kist te kraken.
Het lukt.
Eén plankje schiet los.
En nog één.
En nog één.

'Wat zit erin?'

Lin pakt iets uit de kist.

'We zijn gered!', roept ze.

De hele kist zit vol met potten appelmoes.

'Gered?

Gered?', zegt Fleur.

'We zijn helemaal niet gered!

Onze ouders zijn vast ongerust!

De politie zal naar ons op zoek gaan.

Alle agenten en speurhonden.

Onze foto's komen in de krant.'

'Ja', zegt Ben sip.

Hij heeft spijt.

Dat hij zo boos deed tegen mam.

'Mam denkt vast dat ik ben weggelopen.'

Hij voelt weer tranen prikken.

Lin kijkt ook niet blij meer.

'Ja', zegt ze.

'Zes weken appelmoes.

En dan zijn we in China.'

Ben, Fleur en Lin kruipen dicht tegen elkaar aan.

Een hele tijd is het stil.

Af en toe klinkt een snik.

7 Poepen in een potje

'Denk je wel eens aan je moeder in China?',
vraagt Fleur.
'Nee', zegt Lin.
'Nooit.
Voor mij zijn pap en mam in Nederland
mijn echte ouders.'
'Misschien is je Chinese moeder wel getrouwd
met de keizer', bedenkt Fleur.
'Dan mag je straks in hun paleis wonen.
Dan draag je muiltjes.
En van die mooie jurken.
Van zijde.'
'Ik zie het al voor me', zegt Lin.
'Mijn kamer hangt dan vol met mooie lampen.'
'Ja!
Met franjes eraan', zegt Fleur.
'En ik eet elke dag bami!', zegt Lin.
'Met stokjes!'
'En dan komen wij op bezoek', zegt Fleur.
'Dan mogen wij ook met stokjes eten.'
'Ja', zegt Ben.
'Dan houden we een bamigevecht.'

'Dan wordt de keizer vast boos', zegt Lin.
'Hij sluit ons op in een toren', zegt Ben.
'Maar dan ga ik muziek maken', zegt Lin.
'En dan gaan wij dansen', zegt Fleur.
'Dat vindt de keizer dan heel mooi.
Zó mooi dat hij ons vrijlaat', zegt Lin.
Er valt een stilte.
Niemand weet meer iets te zeggen.
Ze wensen dat alles goed afloopt.
Maar hoe?
'Ik heb honger', zegt Ben.
'Wat houdt je tegen', zegt Lin.
'Er staan wel duizend potten appelmoes.'
'Nog een geluk dat het appelmoes is.

En geen andijvie', zegt Fleur.

'Of zuurkool!', zegt Lin met een vies gezicht.

'Of spruitjes!', griezelt Ben.

Ben pakt een pot appelmoes uit een kist.

Hij draait aan het deksel.

Hij draait en draait.

Zijn hoofd wordt rood.

Maar de pot blijft dicht.

'Laat mij eens', zegt Fleur.

Fleur draait ook.

Ze wordt paars.

Maar de pot blijft dicht.

Lin heeft een idee.

Ze pakt de schroevendraaier.

Daarmee maakt ze een gat in het deksel.

Plop!, doet het deksel.

Met gemak draait ze de pot open.

'Wauw!', zegt Ben.

'Wat goed.'

'En nu?', vraagt Fleur.

'We hebben geen lepels.'

'Om de beurt een hapslok', zegt Ben.

'Wat is nou weer een hapslok?'

'Gewoon', zegt Ben.

'Het is geen hap en geen slok.

Maar een hapslok.'

Ben neemt de eerste hapslok.

Hij heeft een appelmoessnor.
De appelmoes druipt van zijn kin.
Lin en Fleur lachen.
'Nu ik', zegt Fleur.
Fleur heeft ook een appelmoessnor.

'Nu jij, Lin', zegt Ben.
Lin neemt ook een grote hapslok.
De pot is bijna leeg.
Alle drie likken ze hun snor op.
'Wat doen we eigenlijk als we moeten plassen?',
vraagt Ben.
'Of poepen?', vraagt Fleur.
'Oh, gewoon.
In een lege pot', zegt Lin.
'Dat lukt nooit!
In zo'n klein potje', zegt Fleur.

'We hebben heel veel potten.
Genoeg om te oefenen', zegt Lin.
'Ik moet al een beetje', zegt Fleur.
'Nou, dan mag jij het als eerste proberen',
zegt Lin.
'Ik hou het nog wel even op', zegt Fleur.
'Ga nou maar!', zegt Ben.
'Je kunt het moeilijk zes weken ophouden.'
Zes weken?
Als ze daaraan denken, raken ze weer in paniek.
Fleur begint te huilen.
'Ik wil naar huis', huilt ze.
'Ik wil niet naar China!'
Als Ben aan thuis denkt, begint hij ook te huilen.
Wat zullen ze ongerust zijn, denkt hij.
Is het al avond?
Of is het al nacht?
Hoe lang zitten ze hier al?
Ze hebben geen idee.
Met zijn drieën zitten ze dicht tegen elkaar.
Ze rillen van de kou.

8 Wat doen jullie hier?

Plots wordt er aan de deur gemorreld.
Er valt licht door een kier.
De deur kraakt.
Langzaam gaat hij open.
Ze horen voetstappen.
Daar komt iemand aan!
Een grote schaduw verschijnt.
Opeens zijn de kisten appelmoes verlicht.
De schaduw komt dichterbij.
'Wat is hier aan de hand?', zegt een stem.
'Waarom is die kist open?'
'Help!', roepen Ben en Fleur.
Het licht van de zaklamp zoekt rond.
'Help!', roept Lin.
Ineens worden ze door het licht verblind.
'Lin?', zegt de stem verbaasd.
Nu hoort Lin wie het is.
'Tony!', roept ze blij.
Ze rent naar hem toe.
En ze vliegt hem om zijn nek.
'Wat doen jullie hier?', vraagt Tony.
'Zijn jullie gek geworden of zo?

Wat doen jullie op een schip?
Eén dat naar China vaart?'
'Niet boos zijn', zegt Lin.
'Het was een ongeluk.'
Ze vertelt het hele verhaal.
Van Ben en het blikje.
Van het pakje.
En van de Chinese tekens.
Van de friettent en de meeuw.
Van het wachten op de laadklep.
'Rustig!
Rustig!', zegt Tony.
'Ik snap er niks van.
Kom eerst maar eens aan dek.'

Lin loopt achter Tony aan.

Dan Ben en dan Fleur.

Ze gaan een smalle gang door.

En dan een steile trap op.

'Oh!

Wat fijn!

Frisse lucht!', zegt Lin blij.

Bleek komen Ben en Fleur boven.

Fleur zucht eens diep.

Haar buik doet zeer van de zenuwen.

'Wat ben ik blij dat we daar uit zijn', zegt ze.

Tony neemt hen mee naar de kapitein.

Die staat aan het roer.

Hij heeft een witte pet op.

En een lange baard.

Hij heeft een pijp in zijn mond.

En een jasje met gouden knopen.

'Kapitein', zegt Tony.

'Verstekelingen!'

'Verstékelingen?', buldert de kapitein.

'Gooi ze maar in zee!'

Ben en Fleur schrikken zich naar.

Lin kijkt gauw naar Tony.

Tony geeft Lin een knipoog.

'Grapje!', lacht de kapitein.

'Ik roep de havenmeester wel op.

Dan vertel ik hem dat jullie hier zijn.

Jullie namen?'

Verlegen zeggen Ben, Fleur en Lin hun naam.

'Telefoon?', wil de kapitein weten.

Van de schrik weet Fleur het niet meer.

Ze haalt alle cijfers door elkaar.

Maar de kapitein belooft dat alles goed komt.

'Geef ze nu maar iets te eten',

zegt hij tegen Tony.

Tony neemt hen mee.

Weer een smalle gang door.

En twee steile trappen op.

'Hier is ons restaurant.

Ga maar zitten', zegt Tony.

'Lusten jullie een broodje haring?'

Ben trekt een vies gezicht.

Lin en Fleur gieren het uit.

'Heb ik iets geks gezegd?', zegt Tony.

'Ben lust geen haring!

Maar wij wel!', zegt Lin.

'Lust je dan een broodje worst?', vraagt Tony.

'Graag!', zegt Ben.

Even later komt Tony terug.

Met drie borden.

En een kan met sap.

'Alsjeblieft', zegt hij.

De kinderen zitten te smullen.

'Tony?

Hoe komen we nou thuis?', vraagt Lin.

'De havenmeester weet dat jullie hier zijn',
zegt Tony.

'Hij heeft jullie ouders gebeld.

En hij zorgt dat jullie weer in de haven komen.

Maak je maar geen zorgen.

Daar liggen wat spelletjes.

Die mogen jullie wel doen.'

'Oké', zegt Fleur.

'Wat gaan we doen?

Monopolie?

Dammen?'

'Monopolie!', roept Ben.

'Ik ben de bank!'

Ben verdeelt het geld.

Om de beurt kopen ze straten en huizen.

Ben wordt rijker en rijker.

Hij heeft al een straat met hotels.

Fleur zucht.

Ze is bijna blut.

'Hoe lang duurt het nou nog?'

Ineens klinkt er een hoop kabaal.

Tony komt hen halen.

'Kom mee', zegt hij.

'Jullie mogen met een helikopter mee!'

'Wauw!', zegt Ben.

Gauw gaan ze naar het bovenste dek.

Het waait heel hard.

Dat komt door de wieken van de helikopter.

Uit de helikopter hangt een touwladder.

Er klimt een man naar beneden.

'Wie wil eerst?', zegt de man.

'Ik!', roept Ben.

Hij is niet bang.

Met een gordel wordt hij aan de man vast geklikt.

Samen klimmen ze naar boven.

Dan is Lin aan de beurt.

En dan Fleur.

Fleur vindt het best eng.

De ladder zwiept heen en weer.

'Oef!

Ik ben er', zegt Fleur als ze boven is.

De touwladder wordt ingehaald.

'Oh nee!', roept Ben opeens.

'Het pakje!

We zijn het pakje vergeten!'

'Ligt het nog in het laadruim?', vraagt Fleur.

'Ik heb het nergens meer gezien.'

Lin roept naar Tony:

'Tony!

We zijn het pakje vergeten!'

Maar Tony verstaat er niks van.

Hij zwaait alleen maar.

9 Een foto in de krant

De helikopter vliegt naar de kade.
Hij landt voorzichtig.
Meteen komen er veel mensen op af.
Er zijn mensen van de krant.
En politie.
En fotografen.
De havenmeester is er ook.
Hij geeft Lin, Ben en Fleur een hand.
'Kom maar mee', zegt hij.
'Jullie ouders zitten in mijn kantoor.'
Ze lopen met hem mee.
Fleur kan niet wachten tot ze haar ouders ziet.
Ben rent als eerste het kantoor binnen.
Zijn moeder is in tranen.
Dan begint de rest ook te sniffen.
Iedereen is zó ongerust geweest!
'Wat is er nou gebeurd?', vraagt Lins vader.
De havenmeester schenkt koffie in.
Voor de vaders en moeders.
De kinderen krijgen warme melk.
'Op de goede afloop!', zegt hij.
Ben, Fleur en Lin blijven maar vertellen.

Kriskras door elkaar.
Van het laadruim.
En de appelmoes.
Van de postbode en het blikje.
Van Tony met de zaklamp.
Van het broodje haring.
Van de kapitein.
Met de gouden knopen.
Van het pakje.
En van de Chinese tekens.
'Morgen staan jullie in de krant',
zegt Bens vader.
'Wat een avontuur!'

'Maar nou weten we het nóg niet.
Wat er in het pakje zit', zegt Ben.
'Nou ja', zegt Fleur.
'Mij kan het niet schelen.
Ik ben blij dat ik geen zes weken
appelmoes hoef te eten.'
'Ik ook', lacht Lin.
'En dat ik niet in het Chinese paleis ga wonen.
Met een zijden jurkje aan.
En muiltjes.'
Met zijn drieën doen ze een dansje.
'Sjing, sjang, sjong!', zingen ze.
'Haha!'
Ze schateren het uit.
De vader van Fleur vindt het genoeg zo.
'Weten jullie wel hoe laat het is?', zegt hij.
'Het is al twaalf uur!
Midden in de nacht.
Nu gauw naar huis!
En dan naar bed.'

Iedereen gaat naar huis.
Ben komt moeilijk in slaap.
Hij baalt ervan dat hij het pakje is vergeten.
Wat kan er nou toch in zitten?, piekert hij.
Eindelijk valt hij in slaap.

De dag daarna staat hun foto in de krant.
Het hele verhaal staat erbij.
Van het blikje tot en met de helikopter.
Er wordt aangebeld.
Ben doet open.
Hij schrikt.
Het is de postbode.
Ben krijgt een vuurrood hoofd.
Maar de man kijkt vriendelijk.
'Ik las het verhaal in de krant', zegt hij.
'Gisteren heb ik flinke blauwe plekken
gekregen.'
Ben schaamt zich diep.
Waarom had hij niet geholpen?
Waarom had hij geen sorry gezegd?
Hij vindt zichzelf maar stom.
'Het spijt me', zegt Ben.
'Het spijt me van het blikje.'
'Zand erover', zegt de postbode.
'Maar er is wel één probleem.
Elke maand bezorg ik mevrouw Soen
een pakje.
Mevrouw Soen van het Chinese restaurant.
Maar nu is het pakje weg.
Ik begreep dat het op een schip is.
Naar China.
Klopt dat?'

'Eh ... ja ...', stottert Ben.
'Ik stel iets voor', zegt de postbode.
'Dat jij naar mevrouw Soen gaat.
En dat je haar uitlegt wat er is gebeurd.
Waarom ze deze maand
geen pakje heeft ontvangen.'
Oeps.
Ben kijkt naar de grond.
Dit had hij niet verwacht.
Maar nu komt hij er niet meer onderuit.
'Kan ik op je rekenen?', vraagt de postbode.
'Eh ... ja!', stottert Ben weer.
Maar hij voelt zich niet blij.
Zou mevrouw Soen erg boos zijn?
De postbode geeft Ben een aai door zijn haar.
'Goed.
Dan ga ik maar weer', zegt hij.
Hij stapt op zijn fiets.

10 Bami met stokjes

Vlug gaat Ben naar Fleur.
'Fleur!
Fleur!
De postbode was er!', roept hij.
'Waarom?', vraagt Fleur.
'Het pakje was voor mevrouw Soen.
Van het Chinese restaurant.
Ik moet naar haar toe.'
'Waarom dan?', vraagt Fleur.
'Het pakje is toch weg?'
'Ja', zegt Ben.
'Maar ik moet alles gaan uitleggen.
Waarom ze geen pakje heeft gekregen.'
'Oei!', zegt Fleur.
'Zou ze erg boos zijn?'
'Je gaat toch wel mee?', vraagt Ben.
Fleur is even stil.
'Oké', zegt ze dan.
'We halen Lin ook op.
Goed?'
Ben is blij.
Met zijn drieën is het niet zo eng meer.

Ben en Fleur lopen langs de havens.

Schepen varen af en aan.

Ben houdt zijn neus dicht.

'Een lekkere dikke haring!', plaagt Fleur.

'Hou op, Fleur', zegt Ben.

'Dat is niet grappig.

Hé!

Daar is Lin!', roept Ben.

Ze is buiten aan het spelen.

'Lin!

Lin!', roepen Ben en Fleur.

'Moet je horen!'

'Wat is er aan de hand?', vraagt Lin.

'Kom mee!

Ik leg het je onderweg wel uit', zegt Ben.

'Moet je weer een pakje bezorgen?', zegt Lin.

'Dan blijf ik liever hier.'

'Nee', zegt Fleur.

'We moeten naar mevrouw Soen.'

Ben vertelt Lin wat de postbode heeft gezegd.

'Oké', zegt Lin.

'Ik ga mee.

We zijn even weg!', roept ze naar haar moeder.

Haar moeder schrikt.

'Ja, ja!', zegt ze.

'Dat ken ik.

Dat zei je gisteren ook.

En toen zat je op een schip naar China!'

'Maak je geen zorgen, mam', zegt Lin.

'We doen heus niks geks.'

'Maar ...'

Mam wil nog iets zeggen.

Maar Lin, Ben en Fleur zijn al weg.

Ze rennen langs alle schepen.

'Even wachten', hijgt Fleur.

'Zullen we heel even rusten?'

'Niet weer op een laadklep!', lacht Lin.

'Nee, hier', zegt Fleur.

'Gewoon even aan de kant.'

Met zijn drieën zitten ze op de kade.

Golven klotsen tegen grote keien.

Vlak onder hen.

Ben staart ernaar.

'Hé', zegt hij.

'Wat drijft daar?'

Fleur en Lin kijken.

Er ligt iets tussen de keien.
'Zullen we gaan kijken wat het is?', vraagt Ben.
'Het lijkt wel een pakje.'
'Je hebt gelijk', zegt Lin.
'Het ís een pakje.'
Ben, Fleur en Lin klimmen over de keien.
Hun sokken en schoenen worden drijfnat.
Ben heeft het pakje bijna te pakken.
'Kijk nou!', roept hij blij.
'Het is ons pakje!
Het pakje met de tekens!'

'Hoe komt dat nou hier?', vraagt Fleur verbaasd.
'Het is vast van het schip af gevallen', zegt Lin.
'Toen de laadklep verschoof.'
'Nou kan ik het toch nog bezorgen!', zegt Ben.
Blij neemt hij het natte pakje mee.

Bij het zebrapad steken ze de weg over.
Dan door een steegje.
Over de brug.
Daar is het restaurant.

CHINEES RESTAURANT SOEN

staat er met rode letters op het raam.
Ben, Fleur en Lin gaan naar binnen.
Daar zit mevrouw Soen.
Achter de toonbank.
'Hallo', zegt ze vriendelijk.
'Wat kan ik voor jullie doen?'
Ben zet het pakje op de toonbank.
'Van de postbode', zegt hij.
'Het is nat!', zegt mevrouw Soen.
'Wat is er aan de hand?'
'Oh', zegt Ben.
'Het heeft een tijdje in zee gelegen.'
Mevrouw Soen schrikt ervan.
'In zee?', vraagt ze verbaasd.
'Is de postbode dan in zee gefietst?'
Ben moet lachen.
'Nee ...', zegt hij.
En Ben vertelt van het blikje.
Dat hij zich verstopte.
Achter het busje.
En dat hij het pakje vond.
Hij vertelt van het schip.
Naar China.
En dat het pakje weg was.
Dat hij van de postbode
naar haar toe moest gaan.

Om alles uit te leggen.
'En nou hebben we het weer gevonden',
zegt Ben.
Mevrouw Soen vouwt haar handen samen.
'Dank je.
Dank je', zegt ze.
'Wat fijn dat jullie zijn gekomen.
Ik ben heel blij met mijn pakje.'
Ze maakt het meteen open.
Ben, Fleur en Lin zijn heel erg benieuwd
wat erin zit.
Mevrouw Soen scheurt het natte papier eraf.
Er zit een houten kistje in.
Met Chinese tekens erop.
Mevrouw Soen zet het kistje op de verwarming.
'Het moet eerst drogen', zegt ze.
'Zo heb ik er niks aan.'
Dan loopt ze weg.
Door het rode gordijn.
'Waar gaat ze naartoe?', fluistert Fleur.
Ze horen wat gerommel in de keuken.
'Wat zit er nou in?', fluistert Ben.
'Willen jullie wat bami?', roept mevrouw Soen.
'Mmmmm!
Bami!
Dat lusten we wel', zegt Fleur.
Mevrouw Soen komt weer uit de keuken.

Met drie kommen bami.
'Mogen we met stokjes?', vraagt Lin.
'Natuurlijk', zegt mevrouw Soen.
De bami zit overal.
In het haar van Fleur.
Achter Bens oor.
En bij Lin hangen de slierten aan haar kin.
'Pas op, hè?', zegt mevrouw Soen.
'Geen bamigevecht hier.'
Ben, Fleur en Lin gieren van de pret.
Met stokjes eten is ook zó leuk.
Eindelijk zijn hun kommen leeg.
'Dat was lekker!', zegt Ben.

Als ze weggaan, krijgen ze elk een lampionnetje.

Mooi rood.

Met franjes eraan.

'Voor in jullie kamer', zegt mevrouw Soen.

'Dank u wel', zeggen ze tegelijk.

Als ze buiten zijn, krijgen ze de slappe lach.

Ben heeft nog bami in zijn haar.

'Haha!', lacht Lin.

'Maar nou weten we nóg niet

wat er in het kistje zit.'

Ben lacht niet meer.

'Ik ga terug', zegt hij.

'Ik móét het weten.'

Ben duwt de deur open.

Lin en Fleur lopen achter hem aan.

'Zijn jullie daar al weer?', zegt mevrouw Soen.

'Eh ... ja ...

Eh ...', stottert Ben.

'Ik wilde nog weten ...'

Mevrouw Soen zet een potje met heet water neer.

Een kopje en een schoteltje.

Ze maakt het kistje open.

Vol spanning kijken de kinderen wat eruit komt.

'Zo', zegt mevrouw Soen.

'Dat zal smaken.

Een lekker kopje **Chinese thee!**'

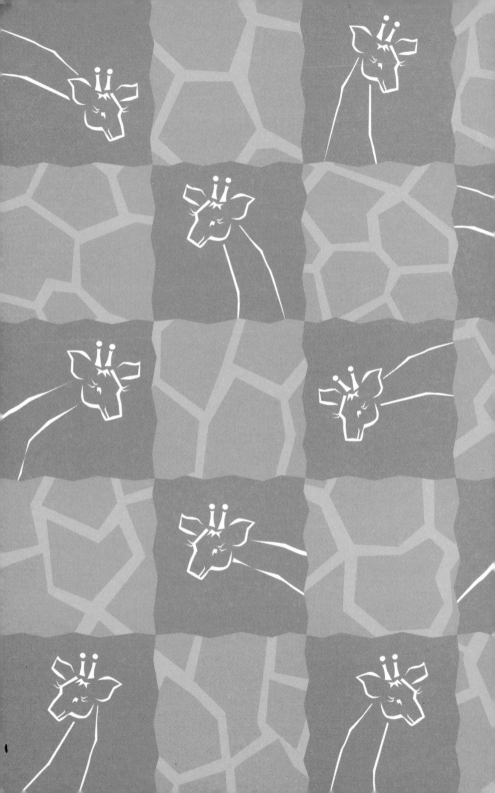